Clár

Caibidil 1
Campa Ceartúcháin

"Cuir iallach orm é a ithe," arsa mise.

"Ní chuirfinn **an t-anró*** orm féin," arsa Brian go **nimhneach****. "Ach, níl tú ag fáil aon rud eile."

Ní raibh mise chun ligean d'amadán an ceann is fearr a fháil ormsa agus chaith mé mo dhinnéar ar an urlár. "Faigh rud éigin eile dom," arsa mise leis. "Tá mo thuismitheoirí ag íoc airgead mór ar an áit seo."

---

* an stró
** cantalach, crosta

1

"An é nach dtuigeann tú fós é, a Oisín?" arsa Brian. "Ní haon champa saoire é seo. Seo **campa ceartúcháin*** i nGaineamhlach Ghóibí. Tá tú anseo chun béasa a fhoghlaim."

Chiceáil mé an pláta anonn go taobh eile an champa. Fágadh rian anlainn ar an urlár ina dhiaidh. Phioc Brian suas **ceirt**** agus chaith sé liom í. "Glan suas é," arsa seisean, go gránna. "Glan suas é nó beidh tú anseo ar feadh na hoíche."

Ní dóigh liom é, arsa mise liom féin. Ní féidir leat mé a choinneáil anseo. Níl aon gheataí ar an áit. Is féidir liomsa mo rogha rud a dhéanamh.

"Is beag nár cailleadh an buachaill deireanach a rinne iarracht éalú as an áit seo," arsa Brian, amhail is go raibh sé in ann m'intinn a léamh. "Níl aon rud amuigh ansin, a Oisín. Sin an fáth gur roghnaigh siad an Mhongóil chun smacht a chur ar bhuachaillí cosúil leatsa. Níl aon chrann ná aon sceach ann – ná aon

---

* ionad ina gcuirtear daoine óga a bhfuil drochiompar acu chun smacht a chur orthu
** éadach glantacháin

2

uisce, mura bhfuil a fhios agat cá bhfaighidh tú é. Ná smaoinigh fiú amháin air."

Seisear againn a bhí **sáinnithe*** anseo, seisear le tuismitheoirí saibhre. Bhí aithne níos fearr againn ar ár bpeataí ná mar a bhí againn ar ár dtuismitheoirí, agus réitíomar níos fearr leo freisin. Tá pearóid liath Afracach agam. Béic an t-ainm atá uirthi. Is breá léi a bheith **ag eascaíní****. Bhí cuid de na daoine eile san áit ceart go leor, ach bhí cuid eile acu nach raibh. Ní raibh duine acu chomh crua liomsa.

Níor ghlan mé **an phraiseach***** a bhí ar an urlár. Shuigh mé síos ansin agus níor bhog mé go titim na hoíche.

"Bhfuil ocras ort?" a d'fhiafraigh Brian díom.

"Ní íosfainn **an truflais****** sin dá bhfaighinn airgead air," arsa mise. "Tá mé ag iarraidh burgar agus sceallóga. Is ortsa a bheidh an locht má fhaighim bás leis an ocras. An dtuigeann tú mé?"

* gan a bheith saor le himeacht, faoi ghlas
** ag rá focal gránna
*** rud atá trína chéile, amscaí, nach bhfuil néata
**** bruscar, dramhaíl

"Beidh port eile ar maidin agat," arsa Brian. "Oíche mhaith."

Níor fhreagair mé é. Bhí plean agam.

Bhí a fhios agam go dteastódh rud éigin le hithe agus le hól uaim. Chuaigh mé isteach go ciúin sa chistin agus líon mé mo phócaí le seacláidí agus cóc. Chroch mé liom seaicéad dearg Bhriain freisin ar fhaitíos go mbeadh an oíche fuar. Chuir mé orm mo chaipín. Níorbh fhiú dom mo fón a thabhairt liom mar nach raibh aon chlúdach amuigh ansin ar aon nós. Amach an doras liom i dtreo na sléibhte agus meangadh gáire ar m'éadan.

Sa bhaile bím ag snámh inár linn snámha gach lá agus tá mé réasúnta aclaí dá bharr. Bhí a fhios agam go mbeinn breá ábalta coinneáil orm ag siúl agus go mbeinn i bhfad ó bhaile sula dtabharfadh aon duine faoi deara go raibh mé imithe. Bhí na bunchnoic sroichte agam faoin am gur éirigh an ghrian. Luigh mé siar ar charraig chun **néal codlata*** a dhéanamh agus chuir mé seaicéad Bhriain faoi mo chloigeann mar philliúr.

---

*   tréimhse bheag codlata

5

Caibidil 2
Éalú

Dhúisigh an torann mé. Bhí sé cosúil leis an nglór
ó mhótarbhealach. Ach bhí a fhios agam nach raibh
aon bhóthar amuigh anseo. D'oscail mé mo shúile.
Ní raibh sé ina mhaidin níos mó. Bhí dath aisteach ar
an spéir. Bhí an ghaoth neartaithe agus **púir*** dusta
san aer. Níorbh léir dom an charraig ba ghaire dom,
gan trácht ar na sléibhte. Dhún mé mo shúile arís agus
thit mé ar ais i mo chodladh.

---

*   scamall, clabhta

Nuair a dhúisigh mé níos déanaí bhí an ghaoth lagaithe. Bhí pianta i mo chnámha ó bheith i mo luí ar an gcarraig chrua agus bhí mo bhéal triomaithe amach ar fad. D'ól mé deoch. Bhreathnaigh mé ar m'uaireadóir ach bhí sé stoptha mar go raibh gaineamh istigh ann.

Bhí mé in ann na sléibhte a fheiceáil arís agus, mar sin, d'ith mé seacláid agus thug mé aghaidh orthu. Cé a cheapfadh go n-éireoidh liom éalú chomh fada seo ón gcampa! Bhí mé ag siúl in aghaidh an chnoic anois, ach ba chuma liom. Bheinn sách ard sul i bhfad chun an campa a fheiceáil i bhfad uaim. B'fhéidir fiú go bhfeicfinn na daoine ag siúl thart ann. D'fhan mé go dtí gur cheap mé go raibh mé sách fada suas sular chas mé timpeall.

Ní fhaca mé oiread is campa amháin. *Ger* a thugann siad ar an gcineál campa atá acu anseo. Ní raibh rud ar bith beo le feiceáil amach romham ach gaineamhlach mór millteach folamh.

Baineadh stangadh asam*. Ní raibh mé in ann é a chreidiúint. Bhreathnaigh mé suas i dtreo na spéire.

Bhí iolar mór ag eitilt os mo chionn. Is maith liom éin. Ní bhíonn siad ag lorg airde i gcónaí mar a bhíonn madraí. Tháinig mé ar cholúr uair amháin a raibh a sciathán briste. Chuir mé **cléithín adhmaid**** air mar a bhí feicthe agam ar chlár ainmhithe ar an teilifís. Tháinig biseach air tar éis cúpla seachtain. Bhreathnaigh mé air ag eitilt uaim.

Ba bhreá liom bheith in ann imeacht mar sin, suas sa spéir. Thuig mé anois go raibh rud éigin thar a bheith seafóideach déanta agam.

D'ith mé an chuid eile den seacláid agus thosaigh mé ag siúl. Ní fhaca mé **duine ná deoraí***** i gcaitheamh an lae. Anois agus arís thosaíodh mo chroí ag preabadh le heagla. Faoin am go ndeachaigh an ghrian faoi bhí an cóc ar fad ólta agam agus bhí mé chomh tuirseach go raibh mo chosa ag lúbadh fúm.

---

*   baineadh geit/scanradh asam
** píosa tanaí adhmaid chun cnámha briste a choinneáil in áit
*** duine ar bith

Tháinig mé ar charraig eile agus luigh mé faoi. Bhí faitíos orm dá dtitfinn i mo chodladh nach ndúiseoinn arís go deo.

Tháinig beagán **mearbhaill*** orm ina dhiaidh sin. Bhí mé préachta leis an bhfuacht agus b'fhada liom go mbeinn sa bhaile. Chuala mé glórtha aisteacha agus rinne mé iarracht iad a thuiscint. Nuair a d'oscail mé mo shúile chonaic mé an diabhal é féin ina sheasamh os mo chomhair amach. Bhí **fionnadh**** ar a éadan, adharca ar a chloigeann agus féasóg ar a smig. Bhí boladh bréan uaidh freisin. Rinne mé iarracht an ruaig a chur air ach bhí mo scornach chomh tirim nach raibh mé in ann labhairt. Bhí tinneas cinn orm chomh maith.

Cheap mé go raibh mé ag fáil bháis.

---

*   intinn doiléir, trína chéile, measctha suas
** gruaig

Caibidil 3

Zul

Bhí duine éigin ag leagan rud fliuch ar mo bhéal.
Níorbh fhada gur thuig mé gurbh bhuidéal uisce a bhí
ann. Shloig mé gach braon dá raibh sa bhuidéal. Bhí
an buidéal i ngreim ag cailín le gruaig dhubh agus súile
ar fiar*. Dúirt sí rud éigin ach ní raibh mé in ann í a
thuiscint.

"Éireannach mé," a dúirt mé i mBéarla agus
slócht** orm. Ó tharla go bhfuil gruaig dhubh ormsa

---

*   ar fána, níl i líne dhíreach
**   glór lag, íseal

freisin, bhí eagla orm go gceapfadh sí gurbh as an áit mé. Bhí an mearbhall ag imeacht díom agus thuig mé nárbh é an diabhal a chonaic mé roimhe sin ach gabhar mór rua.

"Éireannach?" a d'fhiafraigh sí.

Mheas mé go raibh sí cúpla bliain níos óige ná mé féin. Bhí geansaí gorm á chaitheamh aici agus slabhra beag dearg timpeall ar a muineál.

"Céard a thug amach anseo thú?" a d'fhiafraigh sí.

Bhí a oiread ionaidh orm go raibh Béarla aici nach raibh mé in ann í a fhreagairt.

"Bhfuil ocras ort?"

Chlaon mé mo chloigeann.

Chuir sí a lámh ina póca agus shín sí rud éigin chugam a raibh boladh cáise air. D'ith mé é agus mhothaigh mé i bhfad níos fearr.

"Céard a thug amach anseo thú?" a d'fhiafraigh sí arís.

"Tá mé imithe amú."

Bhreathnaigh sí go hamhrasach orm. "Ach cén chaoi a bhféadfá a bheith imithe amú agus an spéir lán le réaltaí? Is mapa iad na réaltaí."

De ghnáth bheadh freagra cliste le tabhairt agam ar rud éigin mar sin, ach níor tháinig oiread is focal amháin as mo bhéal.

"Mise Zul," arsa sise. "Cén t-ainm atá ortsa?"

"Oisín. Tá Béarla an-mhaith agat."

"D'fhoghlaim mé ar scoil é," arsa sise. "Is breá liom an scoil. Tagann daoine ó áiteanna ar fud an domhain chun muid a mhúineadh. Ansin téann siad abhaile arís. Tá duine as an mBreatain ag múineadh Béarla dúinn le trí bliana anuas. An bhfuil tú in ann marcaíocht?"

Chonaic mé capall donn lena taobh. "Cinnte," arsa mise. Ní raibh ach cúpla rang marcaíochta déanta agam ach níor inis mé é sin di.

"Suas leat in éineacht liom mar sin," arsa sise.

Suas léi gan stró ar dhiallait an chapaill. Thóg sé trí iarracht orm dul suas ina diaidh. Bhí **an srian*** an-fhada agus chas sí timpeall san aer é os a cionn chun na gabhair a threorú. Bhí thart ar fiche gabhar ar fad ann, gach ceann acu difriúil ón gceann eile. As linn go brách ina ndiaidh, ach a luaithe is a bhí an capall **ag sodar**** leis, thit mé amach as an diallait anuas ar an talamh.

"Cheap mé go raibh tú in ann marcaíocht," arsa sise.

"Éirigh as. Níor ith mé ná níor ól mé le dhá lá anuas."

---

*   na strapaí leathair a úsáideann marcach chun smacht a choinneáil ar chapall
**   ag imeacht ar luas a bhíonn idir siúl agus rith

14

Níor oscail sí a béal – ach d'aithin mé ar a héadan nár chreid sí gurbh é sin an fáth agus go raibh sí ag rá léi féin nach dtéann duine ar bith amach i nGaineamhlach Ghóibí gan aon bhia ná aon deoch.

Caibidil 4

An Mac Tíre

Choinníomar ag marcaíocht linn thar thalamh cothrom, clochach an ghaineamhlaigh go dtí go ndeachaigh an ghrian faoi. Dúirt Zul, "Caithfidh muid an oíche sa *ger* a chonaic mé ar maidin."

Is dócha go raibh cuma mhíchinnte ar m'éadan, mar dúirt sí, "*Ger.* Campa. Teach."

"Tá a fhios agam céard is *ger* ann," arsa mise go mífhoighneach. "An bhfuil aithne agat ar na daoine atá ina gcónaí ann mar sin?"

"Níl."

Cheap mé go raibh sé aisteach go mbeadh aon duine ag bualadh ar dhoras strainséara ag súil go dtabharfaidís lóistín dóibh. "Seans go gcuirfidh siad ó dhoras muid," arsa mise.

Chas sí thart agus bhreathnaigh sí orm. "Céard atá i gceist agat?"

"B'fhéidir nach bhfuil aon áit acu."

"Cinnte beidh áit acu. Bíonn áit ag gach duine do chuairteoirí. Beidh madraí acu freisin, rud a chabhróidh linn mar -"

Ag an bpointe sin díreach, thosaigh madra **ag geonaíl*** i bhfad uainn.

"Sin comhartha maith, nach ea?" a d'fhiafraigh mé. "Ciallaíonn sé sin nach bhfuil muid i bhfad ón *ger*."

"Ní madra ar bith é sin," arsa sise. "Sin mac tíre."

* an fhuaim a bhíonn ó mhadra/ainmhí atá cosúil le caoineadh fada truamhéileach

Níor chuala mé aon chaint ar mhic tíre sa champa. Magadh a bhí sí. Tá mise go maith ag geonaíl agus d'ardaigh mé m'éadan i dtreo na gealaí chun aithris a dhéanamh ar mhac tíre.

"Dún do bhéal," arsa sise go holc. "Tá mic tíre contúirteach. Tharla drochrud do chailín a bhí an aois chéanna liomsa. Chuir sí téacs chuig a máthair chun rá léi go raibh sí ag bun an bhóithrín ar a bealach abhaile. Ach níor shroich sí an *ger* riamh. D'ith na mic tíre í."

"A leithéid de sheafóid," arsa mise.

Chroith sí a cloigeann, amhail is go raibh mé craiceáilte.

Thuig mé ansin nach ag magadh a bhí sí.

Stop an mac tíre ag geonaíl. Bhí an ciúnas **scéiniúil***. Níor thaitin sé liom. Mhothaigh mé go raibh mé i scannán uafáis. Ar aghaidh linn arís ach níor chualamar an mac tíre ina dhiaidh sin.

---

* scanrúil, uafásach

Bhí mé buíoch nuair a chonaic mé an *ger* amach romham. Bhí deatach ag teacht ón **sorn*** taobh istigh. Bhain mé díom mo chaipín agus thug mé faoi deara go raibh mo chuid gruaige lán le gaineamh.

"Fág ort do chaipín," arsa Zul. "Tá sé mímhúinte é a bhaint díot."

Dúirt Brian go mbeinn breá múinte nuair a bheadh sé féin réidh liom. Chuir mé meangadh orm féin. Ní dóigh liom gurbh é seo a bhí i gceist aige.

Bhí ionadh orm grianphainéal agus mias satailíte a fheiceáil taobh amuigh den *ger*. Thóg buachaill óg capall Zul uaithi. Chuir a thuismitheoirí fáilte isteach romhainn agus thug siad babhlaí bainne te dúinn. Ansin thug siad rud éigin bán agus righin dúinn le hithe.

"Sin *urum*," arsa Zul. "Uachtar tirim."

"Magadh atá tú."

---

*   rud ina ndóitear breosla chun teas a dhéanamh

"Ith é," arsa Zul go nimhneach. "Níl mórán le hithe acu."

Agus d'ith mé ar fad é agus bhí sé ceart go leor. Bhí anraith againn ansin, le feoil ann. Nuair a bhí sé ite agam smaoinigh mé ar an dinnéar a chaith mé ar an urlár sa champa agus mothaigh mé cineál... níl a fhios agam... go dona, is dócha.

Bhí leaba an duine againn. Smaoinigh mé ar an oíche a chaith mé i mo chodladh ar an gcarraig sa ghaineamhlach. Bhí mé an-bhuíoch as an leaba chompordach agus chodail mé go sámh.

Caibidil 5

An tEitleán

Maidin lá arna mhárach, d'éiríomar le breacadh an lae. D'ólamar bainne arís agus d'itheamar píóg feola. Ansin chuamar amach agus bhí dhá chapall ann le diallait orthu. Ba le Zul an capall donn agus bhí capall dubh lena thaobh.

"Tá siad ag tabhairt capall ar iasacht duit," arsa Zul.

Ní raibh mé in ann é a chreidiúint. Cosnaíonn capall go leor airgid. Ní raibh aithne dá laghad acu

orm ach bhí siad sásta a gcapall a thabhairt dom gan
aon cheist faoi.

"Beidh muid i bhfad níos tapúla ar dhá chapall,"
arsa Zul. As go brách léi i ndiaidh an ghabhair rua.

Bhí an diabhal ar an gceann sin*. Chaith
sé a chuid ama ag troid leis na gabhair eile agus ag
déanamh iarrachtaí éalú ó Zul. Chrom Zul anuas den
chapall chun an gabhar a threorú ar ais. Níl a fhios
agam cén chaoi ar éirigh léi fanacht sa diallait. Ní fhaca
mé marcach chomh cumasach riamh. Ní dhúirt mé léi
nach raibh cleachtadh ar bith agamsa ar chapall.

Faoi mheán lae bhí an ghrian **ag scoilteadh na
gcloch****. Stopamar ag tobar chun deoch a ól agus
bhí cuileoga ar fud na háite. **Ghread***** na capaill
a n-eireaball chun an ruaig a chur ar na cuileoga.
Ghlacamar sos beag agus d'itheamar lón. Ar aghaidh
linn ansin arís.

*   bhí an ceann sin dána/mí-ásach
**   an-te
*** bhuail ó thaobh go taobh

Bhí sé ina iarnóin nuair a chuala mé an t-eitleán. Bhí sé an-aisteach eitleán a chloisteáil amuigh sa ghaineamhlach. Ní raibh rud ar bith cloiste agam ó mhaidin ach cuileoga, gabhair, capaill agus glór Zul ag fógairt "Hoirde! Hoird!" chun na hainmhithe a threorú. Seachas sin bhí an áit thar a bheith ciúin. Thaitin an ciúnas liom. Níl a fhios agam cén fáth. Bhreathnaigh mé suas. Níorbh eitleán mór a bhí ann agus bhí sé ag eitilt an-íseal sa spéir.

Ansin, go tobann, thuig mé. *Mise* a bhí á lorg aige.

Thuig mé freisin nach raibh mé ag iarraidh go bhfeicfidís mé. Ní fós. An lá roimhe sin, nuair nach raibh aon rud le hithe ná le hól agam, ba mé a bheadh breá buíoch an t-eitleán a fheiceáil, ach anois... Bhreathnaigh mé thart orm. Ní raibh áit ar bith ina bhféadfaí dul i bhfolach. Ní raibh aon chrann ná aon sceach ann. Bhí an tírdhreach lom.

Bhí Zul ag breathnú ar an eitleán amhail is nach bhfaca sí a leithéid riamh cheana. Thuig mé ansin go raibh Zul an-chosúil leis an dream a mhair sa ghaineamhlach seo na mílte bliain ó shin, ag marcaíocht

ar chapall agus ina haoire ar ghabhair. Ach bhí sí an-chosúil liomsa freisin – ag caitheamh jíons, bróga reatha agus geansaí. Tá an dath céanna gruaige ar an mbeirt againn fiú. Bhí mé mar a bheadh dearthái aici.

Bhí an torann ó inneal an eitleáin ag fáil níos airde; bhí sé ag teacht níos gaire dúinn. Smaoinigh mé ar sheaicéad dearg Bhriain. Bhain mé díom é agus chas mé amach é ionas nach mbeadh an dath dearg ag tarraingt airde. Thaistil an t-eitleán os ár gcionn agus d'imigh sé leis ansin ag ardú suas sa spéir arís go dtí go raibh sé imithe as amharc ar fad.

Caibidil 6

Teaghlach Zul

Bhreathnaigh Zul orm go hamhrasach.

"Ceart go leor," arsa mise. "Tá a fhios agam go raibh an t-eitleán sin do mo lorg ach níl mé ag iarraidh dul ar ais."

"Nach mbeidh imní ar do thuismitheoirí fút?"

"Mo thuismitheoirí," arsa mise, ag gáire. "Níl *am* ag mo thuismitheoirí chun imní a bheith orthu fúm."

"Céard atá i gceist agat? Is é an clog céanna atá ag gach duine againn."

"Caitheann m'athair an lá ar fad ag cruinnithe. Caitheann mo mháthair an lá ar fad ag siopadóireacht."

"*Ag siopadóireacht*?" arsa Zul le hionadh. "Caithfidh go bhfuil sí an-mhall ag siopadóireacht má thógann sé an lá ar fad uirthi."

Cheap mé féin an rud céanna ach ní dhúirt mé sin. Dúirt mé, "Nach mbeidh imní ar do thuismitheoirí *fútsa*?"

"Beidh mura mbeidh na gabhair seo tugtha abhaile agam roimh thitim na hoíche. Ní bheidh a fhios acu faoin mac tíre. De ghnáth, is san iarthar a bhíonn na mic tíre." Chonaic sí an gabhar rua ag déanamh iarracht éalú arís agus as go brách léi ina dhiaidh.

Ní fhaca mé a leithéid de chailín riamh i mo shaol. Ní raibh mé ag iarraidh go gceapfadh sí nach raibh maitheas ar bith ionamsa.

Shroicheamar *ger* a tuismitheoirí agus an ghrian ag
dul faoi. Chuala a hathair ag teacht muid agus bhí sé
ina sheasamh taobh amuigh ag fanacht linn.

Gúna a bhí air.

San am a caitheadh, thosóinn ag magadh faoi,
ach ní raibh an chuma ar athair Zul gurbh fhear é a
thaitneodh leis duine a bheith ag gáire faoi. Bhí an
gúna an-fhada agus bhí cufaí gorma air. Bhí sais oráiste
timpeall ar a bhásta agus péire buataisí móra leathair
ar a chosa. Bhí scian mhór ghéar ar iompar aige sa
sais. Bhí an chuma air gurbh fhear é nach mbeadh aon
drogall air an scian chéanna a úsáid. Chuamar isteach.
Tháinig deartháir óg Zul anall chuici agus rug sé barróg
mhór uirthi. Bhí ainm amaideach air – Bat.

Labhair Zul go han-tapa agus chlaon a hathair a
chloigeann ó am go chéile. Cé go raibh grianphainéal
agus mias satailíte ag an *ger* eile, ní raibh aon cheann
ag *ger* Zul. Mar sin, ní raibh aon teilifís ná fón ná
ríomhaire ann. An t-aon

bhealach a bhí acu chun teachtaireacht a sheoladh ná dul ar chapall chuig an *ger* ba ghaire dóibh. Agus ní raibh sé ar intinn ag athair Zul é sin a dhéanamh. Bhí máthair Zul san ospidéal sa bhaile mór chun páiste a thabhairt ar an saol. Ní raibh sé i gceist aige cailín aon bhliain déag d'aois a fhágáil i bhfeighil a dearthár óig *agus* na hainmhithe, an raibh? Ní dhéanfadh sé é sin.

An mhaidin dár gcionn, thug Zul **sonc*** sna heasnacha dom agus dúirt sí, "Tabharfaidh tú cúnamh dom na gabhair **a bhleán****. Ach ná téigh i ngar don cheann rua, tá sé siúd taghdach."

"**Tá baol orm*****," arsa mise. "Tá mise ag dul ar ais a chodladh."

"Níl tú," arsa sise go holc. "Agus nuair a bheidh na gabhair blite againn, tá m'athair chun tú a thabhairt chomh fada le *ger* a dhearthár. Tá mias satailíte acu sin agus beidh siad in ann fios a chur ar na póilíní. Tabharfaidh siad sin ar ais chuig d'óstán tú."

---

*   brú go crua tapa, buille
**   a chrú, bainne a fháil uathu
*** níl aon seans go ndéanfaidh mé sin

"Ní fhágfadh d'athair tusa i bhfeighil na háite seo."

"Ní bheidh sé imithe ach leathlae."

Bhí a fhios agam ansin nach raibh an dara rogha agam ach an fhírinne a insint.

Caibidil 7
An Timpiste

"Ní raibh mé ag fanacht in óstán," arsa mise. "D'éalaigh mé ó Champa Ceartúcháin Ghóibí."

Sheas Zul ansin ag breathnú go **fuarchúiseach*** orm. Ansin dúirt sí, "Ní chuireann sé sin iontas ar bith orm. Chuala *mise fiú amháin* trácht ar an *áit sin.* B'fhearr duit dul ar ais ann láithreach."

Ní labhraíonn aon duine mar sin liomsa, ach bhí Zul imithe sula raibh deis agam í a mhaslú ar ais.

*   cantalach, drochghiúmar

34

Ghléas mé mé féin agus chuaigh mé amach taobh amuigh.

Thug athair Zul buicéad dom agus shín sé a mhéar i dtreo an ghabhair mhóir liath. Chroch mé liom an buicéad agus níor lig an faitíos dom focal a rá.

Chinn orm* an gabhar a bhleán. Bhí adharca géara orthu ar fad agus cheap siad gurbh iontach an chraic í bheith ag tabhairt poc sa droim dom. Ní raibh sé cosúil leis na pictiúir a bhí feicthe agam de dhaoine ag bleán bó agus iad ina suí ar stól. Ní raibh aon stól agamsa. Bhí orm **dul síos ar mo ghogaide**** agus ní raibh sé sin éasca. Thit mé ar mo thóin cúpla uair agus leag mé an buicéad.

Tháinig Bat amach agus rinne sé iarracht cúnamh a thabhairt dom. Ní raibh mise ag iarraidh cúnaimh ó pháiste beag ar bith agus bhrúigh mé as an mbealach é. Ní fhaca mé go raibh an gabhar rua ar mo chúl. Amach leis agus thug sé poc fíochmhar do Bat agus caitheadh suas san aer é. Thit Bat anuas go crua ar an talamh agus a lámh lúbtha faoi.

*   ní raibh mé in ann
** suí síos ar mo shála

Lig sé béic as agus thosaigh sé ag caoineadh. Bhí a lámh lúbhta siar ar fad. Anall le Zul agus a hathair agus **sodar fúthu***. Bhí a fhios agam go raibh lámh Bat briste. Chuir sé an t-éan leis an sciathán briste i gcuimhne dom.

Bhreathnaigh Zul idir an dá shúil orm. "Céard a tharla?"

D'inis mé di. D'airigh mé do dona. Ní raibh dochar ar bith sa pháiste bocht. Ní raibh uaidh ach cúnamh a thabhairt dom.

Bhí Zul spréachta. "Beidh ar m'athair é a thabhairt chuig an ospidéal," arsa sise. "Ar chapall."

Bheadh Bat bocht i bpian le lámh bhriste ar dhroim capaill. "Caithfear cléithín righin adhmaid a chur ar a lámh chun é a choinneáil in áit," arsa mise. "Tá mise in ann é a dhéanamh. Rinne mé cheana é."

"A leithéid de sheafóid," arsa sise, díreach mar a dúirt mise é nuair a d'inis sí dom faoin mac tíre.

* deifir orthu

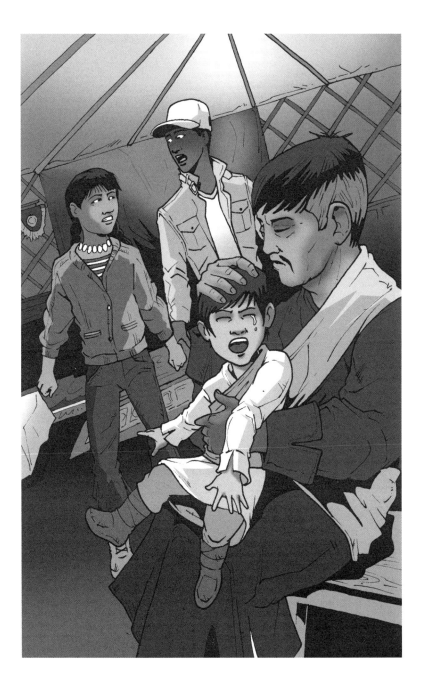

"Tá mé ag insint na fírinne," arsa mé.

"Cén fáth a gcreidfinn thú?"

"Mar tá fíorbhrón orm," arsa mise. Bhí sé aisteach na focail sin a chloisteáil ag teacht amach as mo bhéal. Níor úsáid mé iad an-mhinic. Ach bhí Bat fós ag caoineadh agus d'airigh mé na deora ag teacht liom féin. "Teastaíonn píosa adhmaid uaim," arsa mise. "Agus píosaí éadaigh."

Chuir athair Zul an diallait ar an gcapall agus rinne mise dochtúir díom féin. Bhí mé deas réidh le Bat agus nuair a bhí mé críochnaithe, rinne sé meangadh beag trína dheora. A luaithe is a bhí an cléithín in áit, ní raibh an phian chomh dona.

Nuair a bhí Bat agus a athair imithe, bhreathnaigh Zul orm agus dúirt sí, "Anois a thosaíonn an obair i ndáiríre."

"Céard atá i gceist agat?" a d'fhiafraigh mé.

"Beidh ar an mbeirt againn gach uile rud a dhéanamh anois go ceann dhá lá. Beidh orainn na gabhair a bhleán, an cháis a réiteach agus uisce a thabhairt do na capaill."

Tharraing mé anáil mhór isteach. "Seo linn mar sin," arsa mise. "Tá sé chomh maith againn tosú."

Caibidil 8

An Madra Allta

Bhí mé i m'aoire. Obair chrua a bhí ann ach
ba ghearr gur fheabhsaigh mo chuid marcaíochta.
D'fhoghlaim mé freisin cén chaoi le gabhar a bhleán.
Ní raibh aon teilifís ná cluichí ríomhaire ná iPod againn
agus, mar sin, sa tráthnóna dhéanadh Zul iarracht an
t-amhrán popcheoil **ab ansa léi*** a mhúineadh dom.
"Déanann Mo Mháthair Tae" an teideal a bhí air. Bhí
amhráin eile aici faoi chapaill agus faoi iolair. Ní raibh
siad cosúil ar aon bhealach leis na hamhráin popcheoil
a bhí sa bhaile agam.

* ab fhearr léi

Bhí *gach rud* an-difriúil amuigh anseo. Níos glaine. Níos ciúine. Níos cairdiúla. Chuir Zul ceisteanna orm faoin saol i gcathair mhór. D'inis mé di go raibh sé salach agus glórach agus go raibh boladh bréan ann.

An oíche sin, chualamar an mac tíre arís.

"Ní fada go mbeidh sé ina gheimhridh," arsa Zul. "Sin an uair is contúirtí a bhíonn na mic tíre."

Cheap mé gurbh éard a bhí i gceist aici ná go mbíonn siad níos contúirtí sa gheimhreadh mar gheall ar a laghad a bhíonn le hithe acu. Níor thuig mé nárbh é sin a bhí i gceist aici ar chor ar bith.

Ní fhacamar an t-eitleán arís. Gach tráthnóna thugadh mé féin agus Zul na gabhair agus na capaill chomh fada leis an tobar. Bhíodh orainn an t-uisce a phumpáil isteach i **dtrach*** miotail agus ba chrua an obair í sin. D'óladh na capaill ar dtús agus ansin na gabhair.

---

*   umar/bosca mór fada íseal a choinníonn uisce d'ainmhithe

Ar an gcúigiú lá, chuala na capaill rud éigin. Thosaigh siad ag bogadh go míshuaimhneach agus **ag seitreach***. Bhreathnaigh mé thart agus chonaic mé madra aisteach i bhfad uaim ag bun na spéire. Cheap mé ar feadh nóiméid gurbh é an mac tíre a bhí ann mar bhí cuma scanraithe ar éadan Zul agus níl sé éasca Zul a scanrú. Bhí an madra á iompar féin ar bhealach an-aisteach go deo. Bhí sé **ag alpadh na gaoithe**** agus bhí sé **ag tabhairt an dá thaobh leis***** agus é a siúl, amhail is go raibh sé óltach.

D'imigh na capaill leo **ina gcuaifeach******.

"Fan in éineacht leis na gabhair, a Oisín!" a bhéic Zul. "Agus coinnigh amach ón madra sin iad!" D'imigh Zul léi i ndiaidh na gcapall. Cé gurbh iontach an marcach í, níor cheap mé go mbeadh sí in ann coinneáil suas leis na capaill, ó tharla go raibh siad chomh tapa.

---

*   an fhuaim a bhíonn ó chapaill
**   ag baint plaice, greama as an ngaoth
***   ag siúl ó thaobh go taobh
**** go tapa, sciobhtha

Bhí na gabhair míshuaimhneach anois agus bhí an madra ag déanamh orainn go mall réidh. Bhí sé **ag gnúsachtach*** orainn agus **ag drannadh a chuid fiacla****. Chonaic mé ansin go raibh uisce lena bhéal agus thuig mé go tobann cén fáth a raibh an oiread faitís ar Zul.

Bhí an madra tinn – bhí **an confadh***** air.

Is cuimhin liom gur iarr amadán éigin i mo rang uair amháin cén leigheas a bhí ar an gconfadh. Ar ndóigh, níl a leithéid de rud ann agus leigheas air. Má bhaineann madra greim fiacla asat agus an confadh air, gheobhaidh tú bás. Mura bhfaighidh tú an t-instealladh ceart, caillfear tú taobh istigh de cheithre huaire fichead. Ní raibh aon seans de sin san áit seo.

D'airigh mé fuarallas ar chúl mo mhuiníl. Níor mhaith liom bás a fháil leis an gconfadh; tagann an diabhal isteach i do chloigeann do do chrá agus bíonn tart ort nach féidir a shásamh.

*   an torann a dhéanann madra agus é olc/crosta
**   ag taispeáint a chuid fiacla le holc
***   galar a bhíonn ar mhadra agus a thógann duine má bhaineann an madra greim astu

B'fhéidir gurbh ón mac tíre a tholg an madra é. Mhíneodh sé sin cén fáth nach raibh an mac tíre lena phaca san iarthar – bhí sé róthinn le dul chomh fada leo.

Ansin chuala mé torann nach raibh cloiste le fada agam – trucail ag teacht i mo threo. Bhí súil agam gur duine áitiúil a bhí ann agus go mbeadh a fhios acu céard a bhí le déanamh. B'fhéidir fiú go mbeadh gunna acu. Ní raibh biseach le teacht ar an madra ar aon nós. Sin an rud is trócairí le déanamh. Bhreathnaigh mé thart agus baineadh siar asam nuair a chonaic mé gur ceann de bhusanna an champa ceartúcháin a bhí ag déanamh orm.

Caibidil 9

Geit Mhór

D'airigh mé gur tharla gach rud go han-mhall. Bhí an madra fós ag teacht i mo threo, ag déanamh torann aisteach nach raibh cosúil ar chor ar bith le tafann. Bhí na gabhair ag bogadh thart, agus bhí an trucail stoptha. Bhí ionadh orm Bat, deartháir óg Zul, a fheiceáil ina shuí i gcúl na trucaile le taobh mná a raibh páiste nuabheirthe ina baclainn aici. Ba é Brian ón gcampa ceartúcháin an chéad duine a d'éirigh amach as an trucail – é siúd a bhí ag iarraidh béasa a mhúineadh dom. Ní raibh cuma róshásta air. Ansin

46

d'éirigh athair Zul amach as an trucail. Caithfidh gur casadh Brian air istigh sa bhaile mór nuair a thug sé Bat chuig an ospidéal. D'inis sé do Bhrian cá raibh mé.

Baineadh geit mhór asam ansin nuair a chonaic mé mo thuismitheoirí ag éirí amach as an trucail.

Sheas mé gan chorraí agus mo shúile ar leathadh le hiontas. Bhí sciorta fada ildaite ar mo mháthair, chomh maith le seoda órga agus hata mór gréine. Bhí culaith ghalánta safari ar m'athair agus spéaclaí gréine costasacha.

"*Oisín!*" a bhéic mo mháthair, agus thosaigh sí ag rith i mo threo. Bhí an chuma uirthi go raibh sí ag caoineadh. Bhí mascára ag sileadh anuas ar a leicne.

Thosaigh an madra ag alpadh na gaoithe arís, agus ansin chonaic sé í. B'fhéidir gurbh é an sciorta ildaite nó an loinnir óna fáinní cluasa a tharraing a aird. Cibé cúis a bhí leis, bhí an ghráin aige uirthi **ar an bpointe boise***. Tugann na Francaigh *La Rage* ar an gconfadh

---

*   láithreach

47

agus tuigim anois cén fáth. Bhí an madra **ar mire***
agus ní raibh uaidh ach í a stróiceadh ina píosaí.
Chaith sé léim agus rith sé ina treo.

Ní raibh deis agam cuimhneamh orm féin. Chas
mé timpeall an capall de léim agus bhéic mé "Fuisc!
Fuisc!" Ní raibh aon fhonn ar an gcapall dul gar don
mhadra, ach bhí mé i mo mharcach níos fearr anois
ná mar a bhí cúpla lá ó shin. D'ainneoin an drogall
a bhí ar an gcapall d'éirigh liom iallach a chur air
bogadh. Stop muid idir mo mháthair agus an madra.
D'éirigh an capall in airde ar a dhá chos deiridh agus
theagmhaigh ceann dá chrúba le cloigeann an mhadra.
D'éirigh an madra san aer leis an iarraidh a fuair sé
agus thit sé anuas go trom ar an talamh le taobh an
trach uisce. Ní raibh cor as.

Sheas mo mháthair **ina staic****, a béal oscailte agus
a sciorta á shéideadh timpeall ar a cosa ag an ngaoth.

Shocraigh an capall síos nuair nach raibh sé in ann
an madra a fheiceáil níos mó.

*   an-chrosta/olc
** gan bhogadh

Ansin chonaic mé tréad capall ag bun na spéire i bhfad uainn agus Zul in airde ar cheann acu. Chonaic sí an madra agus rinne sí comhartha lena lámh, á tarraingt trasna a scornaí, ansin chroch sí a hordóg orm.

Bhí sí ag tabhairt le fios dom go raibh an madra básaithe agus nach raibh sé ag fulaingt níos mó.

"Hóigh!" a bhúir Brian. "A Oisín, tá tú i dtrioblóid mhór anois a mhiceó."

"Ní dóigh liom é," arsa m'athair.

Bhí an chuma air siúd go raibh sé féin ag caoineadh mar gur ghlan sé a shúile faoi dhó lena mhuinchille.

"Aithnímse madra fíochmhar nuair a fheicim ceann," arsa seisean. "Tá sé tar éis beatha a mháthar a shábháil."

Bhí an chaint bainte díom. Níor tharla sé sin dom riamh i láthair m'athar.

Siúd anall le Zul. "Seo hí do *mháthair*?" a d'fhiafraigh sí.

Chlaon mé mo chloigeann. "Agus sin é m'athair." Díreach ag an nóiméad sin ní raibh uaim ach go sloigfí isteach i bpoll mór sa talamh mé. Bhí mé náirithe ceart ag mo thuismitheoirí.

"Beidh míle fáilte rompu béile a bheith acu linn inár *ger*," arsa Zul.

"Ach ..."

"Is iad do *thuismitheoirí* iad," arsa Zul go nimhneach. "Cibé faoin mbealach aisteach a ghléasann siad, ba cheart duit meas a bheith agat orthu." Ansin chonaic sí a hathair féin agus na paisinéirí eile a bhí sa trucail. "Sin í *mo* mháthair!" a bhéic sí in ard a cinn. "Agus tá an páiste aici!"

Caibidil 10

Athrú Intinne

Chuaigh mé féin agus Zul ar ais chuig an *ger* ar ár gcapaill agus threoraíomar na capaill eile agus na gabhair amach romhainn. Chuaigh gach duine eile ar ais sa trucail. Bhí Zul ríméadach go raibh deirfiúr bheag óg aici. Shamhlaigh mé go mbeadh a dóthain le déanamh aici dá mbeadh a deirfiúr bheag tada cosúil léi féin, ach ní dhúirt mé é sin le Zul.

Nuair a shroich m'athair an *ger,* bhain sé de a hata.

"Fág ort é," arsa mise go nimhneach. "Tá sé mímhúinte é a bhaint díot."

Bhreathnaigh sé orm go hamhrasach, ach chuir sé ar ais ar a chloigeann é mar sin féin.

Thug Zul agus a hathair amach bainne agus *urum* agus d'inis sí dó faoin méid a bhí déanta againn ó d'imigh sé. Ansin thosaigh a hathair ag caint agus d'aistrigh Zul an méid a bhí á rá aige. D'inis sé do mo thuismitheoirí gur fhoghlaim mé chun gabhar a bhleán agus chun uisce a fháil do na capaill agus gur thug mé cúnamh do Zul lena cuid Béarla. Ghlac sé buíochas leo as a mac a thabhairt ar iasacht dó agus go raibh súil aige go mbeadh a mhac féin chomh maith liom nuair a bheadh sé fásta.

Bhí súile Bhriain ar leathadh le hiontas. Bhí an chuma air go raibh sé chun insint dóibh nach raibh fírinne ar bith sa mhéid sin – ach níor oscail sé a bhéal.

"Tá mise ag iarraidh rud éigin a rá," arsa Zul, nuair a chríochnaigh a hathair a chuid cainte. "Cheap mise i gcónaí gur mhaith liom cónaí sa chathair mhór mar go bhfuil saol i bhfad níos spéisiúla ag daoine ansin. Tuigim anois nach amhlaidh atá. Níl am agaibh chun rud ar bith a dhéanamh sa chathair mhór. Níl am agaibh d'Oisín fiú amháin." Thóg sí anáil mhór isteach. "Tuigim nár cheart dom labhairt mar seo le daoine fásta, ach caithfear rialacha a bhriseadh ó am go chéile. Bhris Oisín na rialacha a leag sibhse síos dó mar bhí a fhios aige gurbh é sin an t-aon bhealach go bhfaigheadh sé aird."

Níor labhair duine ar bith ar feadh nóiméad nó dhó. Ansin dúirt mo mháthair, "Tá am againn d'Oisín, Zul. Sin an fáth go bhfuil muid anseo. Nuair a chualamar go raibh Oisín ar iarraidh, d'fhágamar gach rud inár ndiaidh chun teacht amach anseo á chuardach."

"Tá rudaí chun athrú sa bhaile," arsa m'athair. "Ní dheachamar ar saoire in éineacht mar theaghlach le fada an lá. Bhíomar i gcónaí róghnóthach. Ach ó tharla muid anseo anois... ba chóir dúinn an áit a fheiceáil i gceart." Bhreathnaigh sé ar Zul. "Má thugann d'athair cead duit, ba bhreá linn dá dtiocfá in éineacht linn."

Labhair Zul go tapa lena hathair. Smaoinigh sé ar feadh nóiméid sular fhreagair sé í.

"Deir sé go bhfuil deirfiúr mo mháthar ag teacht anseo amárach chun cúnamh a thabhairt dóibh leis an bpáiste," arsa Zul linn. "Má tá mé ag iarraidh dul in éineacht libh, tá cead agam."

"D'fhéadfadh muid dul in eitleán," arsa mise. "Ar mhaith leat é sin?"

"In eitleán? Ionas go bhféadfainn an gaineamhlach a fheiceáil ón spéir, cosúil le hiolar?"

"Cinnte, díreach cosúil le hiolar," arsa mise, mar is maith liom éin.

"Ní dóigh liom go bhfuil mise ag teastáil anseo níos mó," arsa Brian agus meangadh air. Bhreathnaigh mé ar mo dhaid.

Chaoch sé an tsúil orm.

Chaoch mise an tsúil ar ais air.

AN tÚDAR

Ainm: Elizabeth Kay

Is maith liom:
Sneachta, ainmhithe, taisteal.

Ní maith liom:
Iasc le go leor cnámh agus
drochthiománaithe

3 fhocal fúmsa:
Ealaíonta, greannmhar, fuinniúil.

Rún mór fúm féin:
Bhí an ghráin agam ar mhata ar scoil.

AN MAISITHEOIR

Ainm: Dylan Gibson

Is maith liom: Dul amach, siúlóidí,
rothaíocht, léamh.

Ní maith liom: Dé Domhnaigh agus
maidin Dé Luain!

3 fhocal fúmsa: Ard, cainteach, dícheallach.

Rún mór fúm féin:
Ní maith liom bheith ag eitilt!

Má thaitin an scéal seo leat,
bain triail as na cinn eile seo a leanas
atá foilsithe ag Futa Fata:

Turas scoile go croílár na Boirne. Seachtain lán le
spraoi agus comhluadar in Ionad Eachtraíochta. Ach
tá Aoife buartha faoi dhúshlán mór atá roimpi. Ní
mór di dul i ngleic leis an bhfaitíos is mó atá uirthi,
ní mór di dul faoi thalamh sa dorchadas. An mbeidh
sí in ann chuige?

Agus céard faoi Dhara? An buachaill is suimiúla sa
rang. An dtabharfaidh sé aon aird uirthi?

An éireoidh le hAoife a misneach a choinneáil nuair a
théann sí ar strae i bPluais na gCloigeann?

AN DOSAEN DAINSÉARACH

Tony Bradman

Nócha nóiméad.
Dhá fhoireann.
Seans amháin le buachan.

Ba mhaith le Rónán imirt ar an bhfoireann is deise ar an mbaile, Cumann Sacair Chnoc na Coille. Ach caithfidh muintir Chnoc na Coille é a fheiceáil ag imirt lena fhoireann féin.

Tá fadhb bheag ag Rónán – níl foireann ar bith aige!

An féidir le Rónán foireann a chur le chéile agus í a chur amach ar an bpáirc imeartha taobh istigh de chúpla lá?